BERICHTE ÜBER DIE VERHANDLUNGEN DER SÄCHSISCHEN
AKADEMIE DER WISSENSCHAFTEN ZU LEIPZIG

Mathematisch-naturwissenschaftliche Klasse
Band 99 · Heft 2

GEORG SPACKELER

DER GEBIRGSDRUCK UND SEINE BEHERRSCHUNG DURCH DEN BERGMANN

1951

AKADEMIE-VERLAG · BERLIN

Vorgetragen in der Sitzung vom 12. Februar 1951
Manuskript eingeliefert am 20. April 1951
Druckfertig erklärt am 16. Oktober 1951

Erschienen im Akademie-Verlag GmbH., Berlin NW 7, Schiffbauerdamm 19
Lizenz-Nr. 202 · 100/59/51
Satz und Druck der Buchdruckerei F. Mitzlaff, Rudolstadt/Thür. (707)
Bestell- und Verlagsnummer 2027/99/2
Preis: DM 1,65
Printed in Germany

Inhalt

		Seite
1.	Die Gebirgsdrucklehre auf Grund bergmännischer Beobachtungen	6
2.	Mathematische und naturwissenschaftliche Beiträge zur Klärung der Gebirgsdruckfragen	21
	a) Vermessungstechnik	21
	b) Rechnerische Erfassung der Probleme	22
3.	Modellversuche	25
4.	Festigkeitsuntersuchungen	29
5.	Physikalische und geophysikalische Untersuchungen	32
6.	Ergebnis	33

Die Lehre vom Gebirgsdruck ist eine verhältnismäßig junge Wissenschaft. Vereinzelt hatten sich schon früher Forscher mit Gebirgsdruckfragen beschäftigt. Insbesondere ist die Lehre des Schweizer Geologen Heim von der latenten Plastizität der Gesteine in größerer Teufe zu erwähnen, die er 1878 in Zusammenhang mit dem Bau des Gotthardttunnels in seinem Werk „Mechanismus der Gebirgsbildung" aufstellte. 1899 erschien das Buch von Trompeter „Über die Expansivkraft im Gestein". Später haben einzelne Tunnelbauer (Komerell 1912 und von Willmann 1911) und ebenso Bergleute (E. Weber 1915) an Problemen des Gebirgsdruckes gearbeitet. Von einer planmäßigen Forschung kann aber erst seit 1928 gesprochen werden, als gleichzeitig eine Reihe größerer Arbeiten die Aufmerksamkeit der gesamten bergmännischen Fachwelt auf Gebirgsdruckfragen lenkte. Bis dahin war der Gebirgsdruck als unabänderlich und gottgegeben hingenommen worden. Inzwischen hat man gelernt, den Druck zu lenken und in gewissem Umfange zu beherrschen. Aber nur die qualitative Analyse ist gelungen. Zu einer zuverlässigen Vorausberechnung von Druck und Ausbau fehlen noch alle Unterlagen. Die quantitative Analyse bedarf noch der Ermittelung vieler Unterlagen auf physikalischem und mathematisch-mechanischem Gebiet. Es soll der Zweck meines Vortrages sein, das Interesse der Kollegen dieser Wissenschaften auf dieses noch fast vollständig offene, aber lohnende Forschungsgebiet zu lenken.

1. Die Gebirgsdrucklehre auf Grund bergmännischer Beobachtungen

Eine Beherrschung des Gebirges ist für den Bergbau nicht nur eine Kostenfrage; sie ist der Schlüssel für eine sachgemäße Nutzung unserer Bodenschätze, insbesondere für die Verminderung der Abbauverluste ebenso wie für Verminderung der großen Gefahren (Steinfall, Gasausbrüche mit Schlagwetterexplosionen, Gebirgsschläge usw.).

Um das grundlegende Problem klar zu kennzeichnen, darf ich auf ein persönliches Erlebnis zurückkommen. Nach einem meiner ersten Vorträge über Gebirgsdruckfragen — es war 1928 in Essen vor Fachleuten des Ruhrkohlenbergbaus — wurde mir von ernsthaften Fachvertretern entgegengehalten, ich hätte vorausgesetzt, daß das Gebirge unter der Last der überlagernden Massen stände; wenn das der Fall wäre, müßte das Gebirge in 600 m Teufe unter einer Spannung von rd. 150 Atm., in 1000 m Teufe sogar von 250 Atm. stehen. Wäre das der Fall, so könnte der Bergmann seine Grubenbaue unmöglich offenhalten, sie müßten zusammengedrückt werden, was nicht der Fall sei. Der Einwand kennzeichnet das Kernproblem, um das es sich handelt: Die tiefsten Bergwerke der Erde haben über 2600 m Teufe erreicht; der geplante Mont-Blanc-Tunnel wird über 3000 m Gebirgsdecke haben. Das entspricht mindestens Überlagerungsdrucken von 650 bzw. 700 kg/cm². Worin liegt es begründet, daß der Bergmann die tatsächlich vorhandene Spannung im Gebirge nicht unmittelbar verspürt, daß er im Gegenteil die Grubenbaue oft mühelos offenhält und sogar gelernt hat, den Druck zu lenken und ihn in vielen Fällen zur Erleichterung seiner Arbeit auszunutzen?

Zur grundsätzlichen Klärung dieser Frage sei zunächst ein senkrechter Schacht betrachtet, der im homogenen Gebirge mit kreisförmigem Querschnitt steht. Vor dem Eindringen des Bergmannes ist ein allseitiger Spannungszustand vorhanden. Mit der Schaffung des Hohlraumes wird das Gleichgewicht gestört; die Massenteilchen rings um den Schacht erhalten die Möglichkeit, sich zu verschieben und in Richtung auf den Hohlraum vorzudrücken. Die Massenteilchen werden also von allen Seiten radial in den Schacht einzudringen suchen, wobei sich aber der Kreisumfang, auf dem eine Reihe von Massenteilchen angeordnet ist, ständig verkleinert. Abb. 1 zeigt im oberen Teil schematisch die Vorgänge. Die radiale Kraft wird in eine radiale und tangentiale Komponente zerlegt; die erstere wird nach dem Schacht zu kleiner, bis sie am Schachtumfang nur noch einen Teil ihrer ursprünglichen Größe hat. Die tangentiale Komponente dagegen muß in einem gewissen Umkreis um den Schacht ein Maximum erreichen. Im unteren Teile der Abbildung sind die beiden Komponenten der Kräfte als Kurven dargestellt. Daraus ergibt sich, daß am Schachtumfang nur ein Bruchteil der gesamten Überlagerungskräfte, nämlich der Rest der radialen Komponente, wirksam ist, da sich aus der tangentialen Komponente die Ablenkung der Druckkräfte in das Gebirge hinein ergibt.

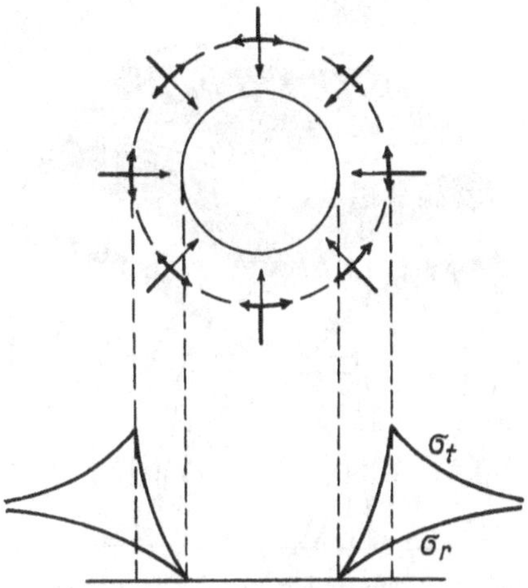

Abb. 1. Kräfteverteilung um senkrechten Schacht (nach FENNER)

Haben wir nicht einen senkrechten Schacht, sondern einen horizontalen Grubenbau, einen Stollen oder eine Strecke vor uns, so ist die Eigenlast der Massen innerhalb der beeinflußten Zone zu beachten. Die tangentiale Komponente verläuft dann nicht in Kreisform, sondern nimmt die Gestalt einer Ellipse an, deren größte Achse bei horizontaler Lagerung der Schichten senkrecht steht. Das Gebirge innerhalb des Maximums der tangentialen Komponente wird dabei durch den Entspannungsvorgang und die daraus entstehenden sekundären Spannungen, besonders durch

Scherkräfte je nach der Eigenart des Gesteins mehr oder weniger zertrümmert. In geringer Teufe und in festem Gestein bleiben die auftretenden Beanspruchungen unter der Festigkeitsgrenze des Gesteins. Wenn der Bergmann hier gleichwohl die Strecken auszimmert, so geschieht dieses nur, um die Steinfallgefahr durch die infolge der Schießarbeit und Verwitterung sich ablösenden Schalen zu beseitigen. Mit zunehmender Teufe beginnen schalenförmige Ablösungen am gesamten Streckenumfang, wodurch die Strecke sich nach oben auswölbt. Der Bergmann vergleicht die Vorgänge deshalb mit einem wirklichen Gewölbe und spricht von Gewölbewirkung und Kämpferdruck auf die seitlichen Stöße. Nimmt die Teufe weiter zu, so werden die Zerklüftungserscheinungen rings um die Strecke immer heftiger und zugleich vielseitiger, da selten homogenes Gebirge vorliegt, sondern die Druckwirkungen in allen Einzelschichten verschieden sind. Eine dünne Tonlage kann dadurch, auch wenn sie nur Millimeterdicke hat, großen Einfluß auf das Gebirgsverhalten ausüben. Abb. 2 gibt ein Beispiel für das verschiedene Verhalten der einzelnen Gesteinsbänke aus dem Steinkohlenbergbau wieder; es stammt von einer westfälischen Zeche aus rd. 700 m Teufe. Eine alte, schon mehrfach nachgerissene und jedesmal neu ausgebaute Strecke quer zu den Gesteinsschichten wurde zu einem großen, modernen Ansprüchen genügenden Wetterquerschlag erweitert, so daß sich Gelegenheit bot, die im Laufe vieler Jahre entstandenen Gebirgsveränderungen rings um die alte Strecke gut zu beobachten. Der weiß dargestellte gesunde Ton-

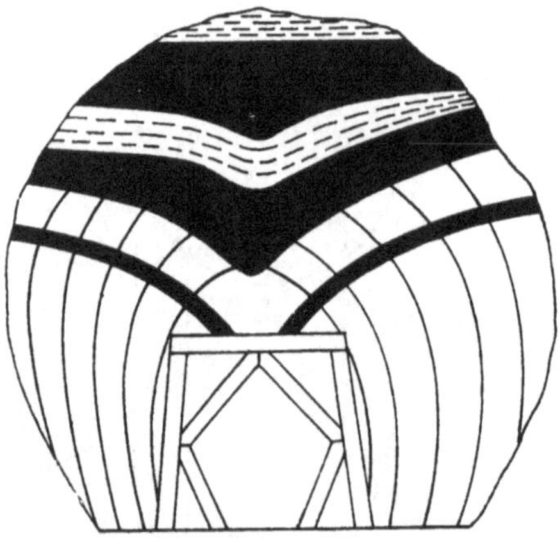

Abb. 2. Querschlag auf Zeche Blumenthal

schiefer erhielt die gezeichneten Risse mit Bildung schalenförmiger Ablösungen etwa parallel zur Gewölbelinie, ohne aber vollständig hereinzubrechen, während die schwarz gezeichnete, viel weichere Steinkohle sich von der Seite her völlig zermürbt in den Druckschatten vorgeschoben und über der Streckenfirste eine Massenanstauung hervorgerufen hat. Der Schiefer zwischen dem Kohlenflöz und der Firste der alten Strecke ist durch diese Wanderung ebenfalls in Bewegung gekommen, hereingedrückt und schon bei früheren Nachrißarbeiten z. T. entfernt. In noch größerer Teufe

Abb. 3. Schieferung und Verformung des Hangenden beim Nachreißen eines Querschlages auf der Zeche Sachsen bei Hamm. Die weiße Linie bezeichnet die ursprüngliche Lage der Schichten

würde auch der Schiefer zertrümmert und zerrieben sein, wobei dickbankige gesunde Schichten in feinste Schieferplatten und -plättchen aufgelöst zu werden pflegen. Abb. 3 zeigt im Foto die Aufwältigung eines alten Querschlages in ganz ähnlichen Tonschiefern wie in Abb. 2, aber in 950 m Teufe. Die weiße Linie quer über das Bild deutet das ursprüngliche Einfallen der Schichten an. Der ursprünglich dickplattige Schiefer ist von beiden Seiten her zusammengeschoben und dabei nicht nur in feinste Plättchen aufgelöst, sondern auch von den seitlich nachdrückenden Massen gestaucht und gefaltet. In der Sohle gehen grundsätzlich die gleichen Erscheinungen vor sich; nur das freie Herabfallen der sich lockernden Teile ist ausgeschlossen. Die Sohle wird daher hochgedrückt, so daß der Bergmann sie, um sein Gleisplanum zu erhalten, nachreißen muß. Gleichwohl kann man beobachten, daß in Sohle und Firste spiegelbildliche Erscheinungen zu beobachten sind.

Alle diese Betrachtungen führen zur Beantwortung der eingangs aufgeworfenen Frage, warum der Bergmann die hohen Gebirgsspannungen nicht unmittelbar verspürt: er bekommt das hochgepreßte Gebirge überhaupt nicht zu sehen. Um jeden vom Bergmann erzeugten Hohlraum bildet sich sofort eine mehr oder weniger entspannte Zone aus, gegen welche zwar von außen her radiale Kräfte wirken, die aber einen Schutzgürtel um die Strecke bildet. Wenn die Schalen auch lose sitzen, so lange sie sich in ihrer ursprünglichen Lage befinden, üben sie einen gewissen Widerstand aus, so daß die am Streckenumfang verbleibende radiale Komponente der Überlagerungskräfte klein ist. Zweck der Grubenzimmerung oder heute meist des in Stahl oder Betonsteinen ausgeführten Grubenausbaus kann es niemals sein, das überlagernde Gebirge zu tragen; tritt dieser Fall ein, so knickt jeder Ausbau in größerer Teufe zusammen. Er hat nur in radialer Richtung einen Anfangswiderstand gegen das Gebirge auszuüben, der durch die Massen innerhalb des Schutzgürtels vergrößert wird. In der Firste trägt der Ausbau max. das Gewicht des Gesteins innerhalb der zerklüfteten Zone; damit schützt er den Bergmann vor Steinfallgefahr. Hauptaufgabe des Ausbaus ist aber nicht die Sicherung nach oben, sondern der Widerstand gegen die radialen Kräfte, also der Widerstand nach allen Seiten. Man paßt daher den Ausbau heute in seiner Form nach Möglichkeit der elliptischen Form der Schutzgürtelzone an, was bei Stahl und Beton als Ausbaumaterial leicht möglich ist. Im schwerdrückenden Gebirge baut man geschlossene Ringe ein. Nach Möglichkeit verzichtet man allerdings der hohen Kosten wegen auf einen Ausbau der Sohle, zumal man damit ein Sicherheitsventil schafft, da das Nachreißen der Sohle die billigste Reparatur einer Strecke darstellt. Um die Ausbildung der entspannten Zone zu ermöglichen, pflegt man heute keinen starren Ausbau zu wählen, sondern ihm Beweglichkeit (Möglichkeit der Änderung der Querschnittsform) und Nachgiebigkeit (Möglichkeit der Querschnittsverminderung) zu geben, wobei jedoch auf steigenden Widerstand gegen weitere Querschnittsverminderungen Wert zu legen ist, um baldigst zu einem neuen Gleichgewicht zu kommen. Mit der Zeit und nach genügender Entspannungsbewegung kann die Ruhe aber auch ohne Ausbau eintreten. Häufig kommt es deshalb vor, daß, wenn der Ausbau unter Querschnittsverminderung zerstört ist, auch der neue Gleichgewichtszustand hergestellt ist und Ruhe im Gebirge eintritt. Entfernt man dagegen den zerbrochenen Ausbau und reißt die Strecke nach, weil z. B. ihr Querschnitt zu klein geworden ist, so kommt das ganze Gebirge erneut in Bewegung, weil die radialen Kräfte nicht mehr auf den Widerstand der wenn auch gelockerten Massen stoßen. Im jüngeren, besonders im tonigen Gebirge, ist häufig beobachtet, daß der Ausbau zunächst mehrmals zusammengedrückt wurde und jedesmal erneuert werden mußte, daß die Standdauer jedes neuen Ausbaus aber größer wurde und daß nach drei- oder viermaligem Aufwältigen der Strecke im Gebirge Ruhe geschaffen war. Am größten ist und bleibt der Druck im plastischen Ton, an welchem auch die radiale Wirkung gleichmäßig von allen Seiten her am deutlichsten in Erscheinung tritt und kaum Ruhe zu erzielen ist. Im Bergbau auf feuerfeste Tone z. B. hat man in nur 40—50 m Teufe die Strecken in geschlossener Ellipsenform mit Betonsteinen ausgebaut, wobei trotz des kleinen Querschnittes von nur 0,8 bzw. 1,8 m Achsenlänge sich eine Mauerstärke von 0,3 m als erforderlich erwies. Bei großen Teufen ist einem solchen Ton überhaupt kein Ausbau gewachsen. Man hat in solchen Fällen starke Stahlträger (I P 30—40 von 120—160 kg/m Gewicht) als runde Profilrahmen eingebaut, aber jeden Verzug hinter diesen Trägern fortgelassen. Der Ton quoll dann zwischen den Rahmen in die Strecke hinein, wo er regelmäßig entfernt werden mußte. Allmählich aber erzielt man auch in diesem Falle Ruhe, wenn eine bestimmte Menge Ton entfernt und die Tiefe der entspannten Zone so groß geworden ist, daß auch der geringe Widerstand des Tones zur Gleichgewichtsbildung ausreicht. In festes Gebirge eingelagerte Tone werden oft vollständig ausgequetscht. Beobachtet ist z. B. im Steinkohlenbergbau, daß solche Tone im Liegenden eines Flözes in eine alte, im Flöz aufgefahrene Förderstrecke von der Seite her so abgewandert waren, daß die Tonschicht auf 10 m Breite jederseits dieser alten Strecke vollkommen verschwunden war und erst in 20 m Entfernung ihre volle Stärke von 1 m wieder erreicht hatte.

Der Bergman hat für diese Schutzzone der Entspannung und Zerklüftung rings um die Strecken einen kurzen Fachausdruck eingeführt; er bezeichnet sie als „Trompetersche Zone", genannt nach dem obenerwähnten Verfasser des Buches „Über die Expansivkraft im Gestein", in welchem 1899 zum ersten Male die Gedanken vom Hereinschieben der Massen und der Bildung einer Entspannungszone geäußert wurden. Selbst der kleinste Hohlraum, selbst ein Sprengbohrloch von 20 oder 30 mm ∅, erzeugt sofort eine Trompetersche Zone um sich. Sie ist der Anlaß dafür, daß der Bergmann immer nur das entspannte Gebirge zu sehen bekommt, daß er aber nicht in die Zone des Kämpferdruckes eindringt. Gelingt dieses, d. h. käme der Bergmann schneller vorwärts, als der Gebirgsdruck sich verlagern kann, so muß der Grubenbau sofort zusammenbrechen. Im Steinkohlenbergbau ist dieser Fall bei Herstellung tiefer Schlitze vereinzelt beobachtet und durch gewaltige Kohlenstaub- und Schlagwetterbildung gekennzeichnet gefunden. Ein geregelter Bergwerksbetrieb ist nur dort möglich, wo die Lenkung des Gebirgsdruckes so weit gelingt, daß der Gewölbedruck stets auf dem anstehenden Gestein liegt. Bei jeder Neuherstellung eines Hohlraumes ist die Entspannungszone zunächst klein, die Scherkräfte in ihr entsprechend groß. Anfangs tritt daher eine schnelle und deutliche Zerklüftung, meist Schalenablösung ein. Allmählich aber dehnt sich die Zone in das Gebirge hinein aus, womit die Spannungsdifferenzen sich auf größeren Raum verteilen, so daß die Rißbildung nachläßt. Die Größe der Trompeterschen Zone ist daher nicht nur eine Funktion des Gebirges und der Teufe, sondern auch eine Funktion der Zeit. Die Trompetersche Zone ist der Anlaß für die von Bergleuten gelegentlich vertretene Ansicht, daß der Gebirgsdruck von der Überlagerungshöhe unabhängig ist. Nur ein flüchtiges Betrachten kann aber zu dieser Meinung führen: in alten Strecken kann die Beobachtung als richtig erscheinen, in neu hergestellten Strcken offenbart sie sich als falsch. Tatsächlich sind die Zeit, die bis zum Eintritt des neuen Gleichgewichtszustandes vergeht, und die Größe der Trompeterschen Zone die bestimmenden Faktoren, aus welchen auf den wirklich im Gebirge herrschenden Überlagerungsdruck geschlossen werden kann.

Meine Ausführungen erklären, wie ich nochmals hervorheben möchte, die eingangs angeführte Streitfrage: weshalb verspürt der Bergmann den Überlagerungsdruck nicht? Eben deshalb, weil der Bergmann mit dem hochgepreßten Gebirge überhaupt nicht in Berührung kommt, sondern weil sich stets die Trompetersche Zone als Schutzzone um seinen Grubenbau legt und weil die Last des Gebirges oberhalb dieser Trompeterschen Zone gewölbeartig auf das Gestein beiderseits der Strecke übertragen wird. Der Grubenausbau wird nur vom Gestein innerhalb der Trompeterschen Zone beansprucht.

Die bisherigen Ausführungen beschränken sich auf Stollen und Strecken, d. h. auf Grubenbaue von langer Erstreckung, aber kleinem Querschnitt. Sehr viel verwickelter werden die Erscheinungen, wenn wir in die Abbauräume hineingehen, wo die Hohlräume je nach der Lagerstätte sehr große Flächen bei geringer Abbauhöhe einnehmen, z. B. Abbau von Kohlenflözen, oder wo sie große, manchmal unregelmäßige Ausdehnung erhalten (viele Erz- und Salzgruben). Selbstverständlich treten im Abbau grundsätzlich die gleichen Erscheinungen auf, wenn sie auch in anderem Gebirge und bei anderer Form der Grubenbaue andere Auswirkungen ergeben. Neben der Bildung der Trompeterschen Zone mit ihrer scheinbaren Gewölbewirkung gewinnen aber, besonders bei großen Abbauflächen, noch andere Auswirkungen des Gebirgsdruckes Bedeutung. Bleiben wir zunächst bei der Gewölbebildung im Abbau!

Abb. 4 gibt ein kennzeichnendes Bild einer solchen Gewölbebildung wieder, also der Entstehung der Trompeterschen Zone über großen Flächen. Daß spiegelbildlich etwa die gleichen Entspannungserscheinungen im Liegenden vor sich gehen, sei nur kurz erwähnt. Die Abbildung entstammt dem Mansfelder Kupferschieferbergbau, den wir mit Recht als den klassischen Bergwerksbezirk der Gebirgsdruckforschung bezeichnen dürfen. Das dünne und dabei arme Kupferschieferflöz von durchschn. 25 cm Mächtigkeit wäre nicht

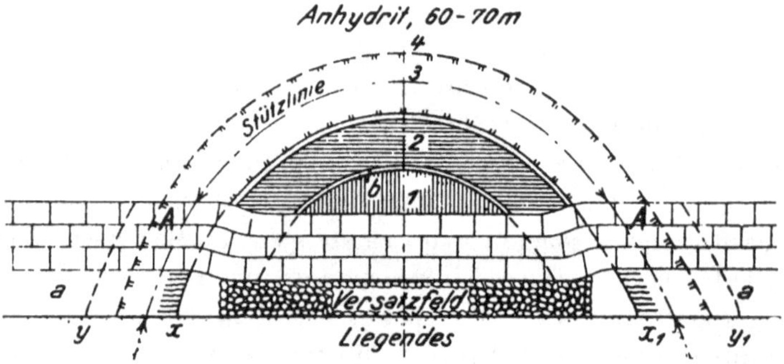

Abb. 4. Gewölbebildung im Mansfelder Kupferschiefer (nach Gillitzer)
a Flöz, *b* Ablösungskluft, x—x_1 erster, y—y_1 zweiter Stand des Abbaus, *1* und *2* bereits abgelöste, auf dem Versatz sitzende Kugelhaube oder Kugelschale, *3* Gewölbe, das noch im Schichtverband feststeht, *4* künftiges Gewölbe, *A* Kämpferpunkte für das Gewölbe *3*

wirtschaftlich gewinnbar, wenn man nicht gelernt hätte, den Gewölbedruck auszunutzen, indem man ihn nicht nur bewußt auf die Abbaukante lenkt, sondern ihn auch durch Bogenform der Abbaufront in seiner Größe regelt. Dadurch wird nicht nur die Gewinnung erleichtert, sondern auch die Trennung von Erz und dem nachzureißenden Nebengestein erreicht. Daß dies so vollkommen gelingt, ist natürlich eine Folge des günstigen Gebirges; das Flöz wird überlagert von dem 5 m mächtigen, plattigen, daher biegsamen Zechsteinkalk und darüber von einem 60 m dicken, ziemlich homogenen Anhydrit. In Querschlägen, welche durch diesen Anhydrit geführt wurden, hat man das periodische Herausplatzen des Kernes des Gewölbes genau verfolgen können. Dieser Kern löst sich an offenen Spalten vom übrigen Anhydrit ab, wobei die Kuppelform deutlich in Erscheinung tritt. Innerhalb des Gewölbekernes herrscht Entspannung, die man auch dann beobachten kann, wenn es nicht zum Abplatzen des Kernes kommt. In ähnlichen Fällen hat man im geschichteten Gebirge eine deutliche Aufblätterung, also die Bildung von Schichtfugen innerhalb des Kernes beobachtet. Vom Bergmann werden diese Aufblätterungen als Weber'sche Hohlräume bezeichnet (H. Weber, Der Gebirgsdruck

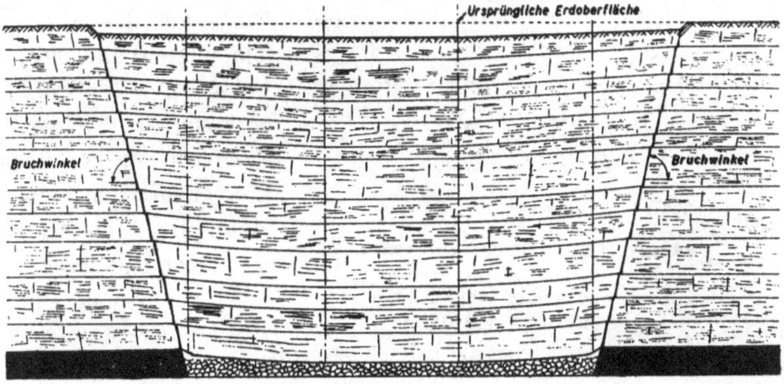

Abb. 5. Darstellung einer Senkungsmulde bei geringer Überdeckung

als Ursache für das Auftreten von Schlagwettern usw., Glückauf 1916, S. 40). Werden mehrere Flöze übereinander abgebaut, so kann nur das erste Flöz mit Gebirgsdrucknutzung gewonnen werden. Die Nachbarflöze sind innerhalb des Gewölbekerns des ersten Flözes entspannt, „tot", wie der Bergmann sagt, so daß sie sehr viel schwerer als das 1. Flöz zu gewinnen sind; dafür ist die Druckbeherrschung leicht, die Steinfallgefahr gering. Führt eine Strecke im zweitgebauten Flöz aber durch die Gewölbelinie des erstgebauten, so treten hier sehr unangenehme und gefährliche Erscheinungen ein.

Als weitere Druckwirkung neben der Gewölbebildung über Abbauen seien die besonders bei Abbau in geringer Teufe auftretenden, in Abb. 5 dargestellten Bruchlinien genannt, welche die Tagesoberfläche erreichen und hier oft deutliche Schadenslinien, offene Spalten verbunden mit Terrainstufenbildung, erzeugen. Sie beruhen darauf, daß das Gebirge über dem Abbauraum nicht abreißt und senkrecht in den Hohlraum hineinstürzt, sondern daß auch die seitlichen Teile das Bestreben haben, der Schwerkraft folgend, zur Beseitigung des Massendefizits beizutragen. Mit zunehmender Teufe bleibt die Ausbildung dieser Bruchlinien nicht so deutlich. Auch die Senkung der Tagesoberfläche geht nicht mehr an Bruchkanten, sondern unter Bildung einer flachen Mulde vor sich, deren Folgen die Abb. 6 zeigt. Rings um das Abbaufeld entsteht danach ein Gebiet der Überzugswirkungen an der Tagesoberfläche, in welchem Bewegungen nach dem Hohlraum hin eintreten, aus denen eine horizontale Komponente mit Wanderung der Einzelpunkte hervorgeht Man unterscheidet den Bruchwinkel α und den Grenzwinkel β. Die Bruchlinie verliert mit steigender Teufe immer mehr die Natur einer Riß- oder Gleitfläche; sie wird zu einer Zone erhöhter Spannung und Zertrümmerung. Die Folge der Vorgänge sind Zerrungsspannungen im Randgebiet und Pressungsspannungen über dem Abbau, Erscheinungen, die bei bebauter Oberfläche zu den bekannten Schäden an Häusern, Wasserleitungen usw. führen. Die gleichen Beobachtungen, wie sie an der Tagesoberfläche immer wieder gemacht werden, kann der Bergmann auf höheren Sohlen über seinen Abbauen anstellen.

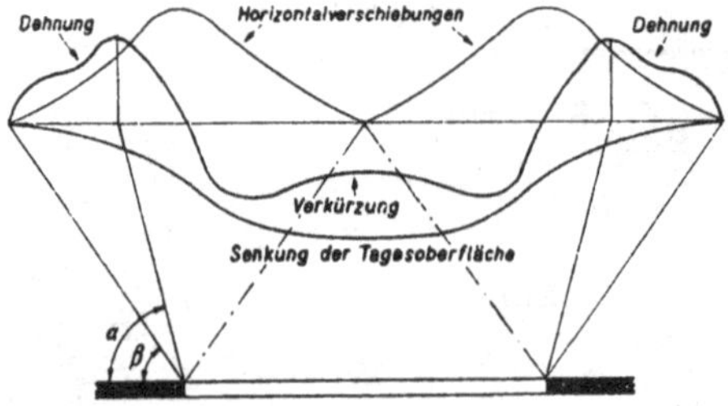

Abb. 6. Senkungsmulde beim Abbau unter mächtigem Deckgebirge

Man hat die Bruchlinienbildung als unvereinbar mit der Gewölbebildung erklären wollen, da diese jede Senkung der Tagesoberfläche ausschließen müsse. Das ist m. E. falsch. Denn die Gewölbebildung kann bei genügender Spannweite nicht die Senkung der Tagesoberfläche verhindern. Im Gegenteil, sie erklärt erst die Vorgänge an der Tagesoberfläche, nämlich die flache Muldenbildung, da, wie dargelegt, erhebliche Massenwanderungen aus der Zone des Kämpferdrucks in den Druckschatten, also in den Abbauraum und in den Gewölbekern, stattfinden. Im oberschlesischen Steinkohlenbergbau z. B. konnte ich in einem Steinkohlenflöz im Laufe mehrerer Jahre einen Schwund der Mächtigkeit eines Flözes im Gebiet des Kämpferdrucks von 1,25 auf 0,9 m beobachten, ohne daß das Flöz Zerklüftungserscheinungen erkennen ließ; die Kohle war in das Gebiet des Druckschattens abgewandert. Gerade daraus erklärt sich die allmähliche Senkung der Tagesobertläche in Form eines flachen Troges.

Die dritte in Abbauen beobachtete Auswirkung des Gebirgsdruckes ist die Bildung der sog. Weberschen Welle (SPACKELER, Die sog. Druckwelle, Glückauf 1928, S. 158). Abb. 7 zeigt eine schematische

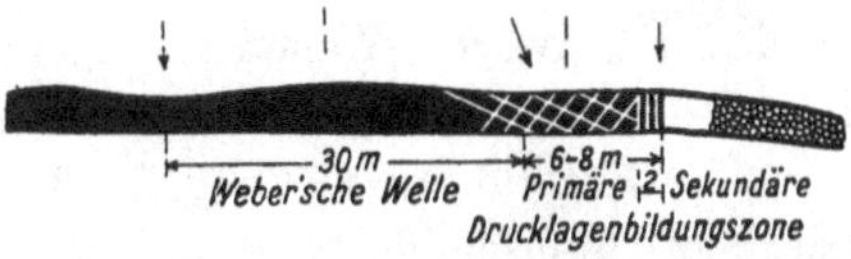

Abb. 7. Schematische Darstellung der „Weberschen Welle". Das Hangende wird von Tonschiefer gebildet

Darstellung an einem Steinkohlenflöz. Das Gebirge über dem Abbauhohlraum biegt sich zunächst durch, gegebenenfalls kommt es zum Bruch. Je nach den örtlichen Verhältnissen stellt das Hangende über dem Abbauraum eine einseitig oder allseitig eingespannte Platte dar. Dadurch entsteht, besonders bei einseitig eingespannter Platte, im Einspannlager das bekannte negative Drehmoment. Das Einspannlager hat in diesem Falle aber im Gegensatz zum üblichen Fall der Bautechnik eine unendliche Länge. Das Drehmoment wird daher durch den Widerstand der höheren Schichten vernichtet, die Platte wird zurückgebogen. Die Folge ist ein allmähliches Ausklingen der Bewegung, indem die unterste Schicht über dem Flöz eine wellenförmige Lagerung annimmt. Im Flöz, als dem gewöhnlich nachgiebigsten Teil des Schichtenverbandes, entstehen Ausbauchungen und Einschnürungen in solchem Ausmaß, daß der Bergmann sie gelegentlich mit bloßem Auge beobachten kann. Die Wellenlänge beträgt meist etwa 25 m. Durch genaue Messungen hat man eine solche Wellenbildung bis auf 200 m Entfernung vom Kohlenstoß nachgewiesen, so daß 8 solcher Wellen noch merkbar sind (O. Kahlert, Abbaulenkung zur Vermeidung schädlichen Gebirgsdrucks, Diss. TH Berlin 1943, und Niemczyk, Bergschadenskunde, Essen 1949, S. 180). Die Beobachtungen haben in Verbindung mit Versuchen des staatl. Materialprüfungsamtes an eingespannten Platten zur Aufstellung einer Plattentheorie zwecks Erklärung aller Abbauwirkungen geführt (K. Stöcke, A. Hermann, H. Udluft, Gebirgsdruck und Plattenstatik, Zeitschrift für Berg-, Hütten- und Salinenwesen 1934 u. 1936), was m. E. weit über das Ziel hinausschießt. Ich habe selbst die Erscheinungen in Oberschlesien beobachtet und habe 1928 bereits dafür das Kennwort „Webersche Welle" geprägt (vgl. erwähnten Aufsatz Glückauf 1928, S. 158), vertrete aber den Standpunkt, daß die Gewölbebildung viel regelmäßiger zu beobachten ist und daß sie bergmännisch die weitaus größere Bedeutung hat. Nur dort, wo dicht über dem Flöz eine besonders feste Schicht im Gebirge liegt, wie es gerade in Oberschlesien vorkommt, hat die Webersche Welle abbautechnisch Bedeutung. Der z. T. lebhafte Streit zwischen Platten- und Gewölbetheoretikern ist m. E. zwecklos; denn alle drei hier genannten Erscheinungen laufen parallel zueinander, sie können nur gemeinsam die Vielfältigkeit der Beobachtungen erklären. Je nach den Gebirgsverhältnissen tritt bald die eine, bald die andere am deutlichsten hervor. Die Gewölbebildung hat aber unter den drei genannten Faktoren die größte Bedeutung, zumal keine als Platte aufgefaßte Schicht in der Lage ist, in größerer Teufe den Überlagerungsdruck zu tragen. Die Durchbiegung der hangenden Schichten über der Abbaufläche und die Webersche Welle erzeugen im Hangenden elastische Biegungsspannungen. Ihre Bedeutung sei durch den Hinweis auf die gefürchteten Gebirgsschläge beleuchtet. Solche Schläge sind in allen Bergwerksbezirken der Welt beobachtet, die ein festes und massiges Nebengestein haben, im Steinkohlenbergbau unter dickbankigen Sandsteinen, im Erzbergbau unter Porphyrdecken oder Quarzitschichten, im Kalibergbau unter massigem Anhydrit. Die Bedeutung solcher Schläge möge ein Hinweis auf den größten deutschen Gebirgsschlag, den vom Kaliwerk Krügershall bei Halle vom Jahre 1941 kennzeichnen, der das gesamte Grubengebäude zerstörte, 42 Bergleute begrub, makroseismisch fast bis Magdeburg fühlbar war und von den Erdbebenwarten in Königsberg und Basel registriert wurde. Abb. 8 gibt die grundlegende Theorie

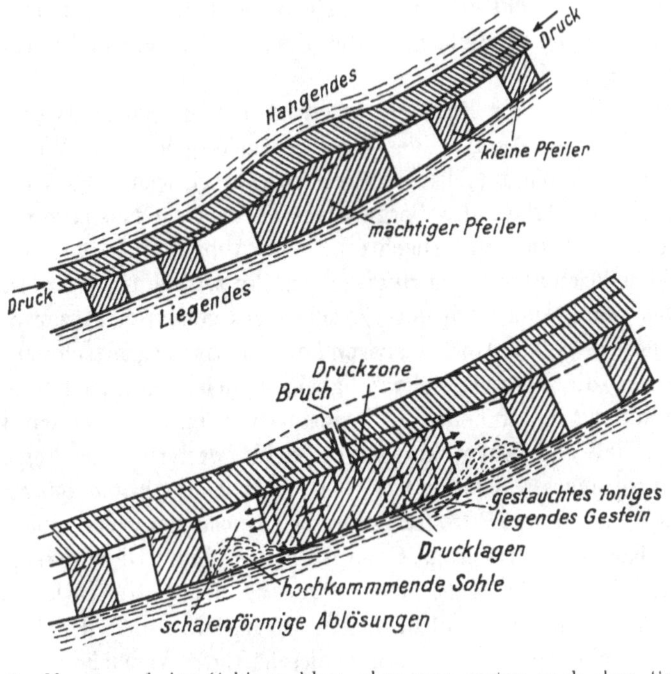

Abb. 8. Vorgänge beim Gebirgsschlag, oben vor, unten nach dem Schlag (nach JARLIER)

von JARLIER wieder (Venues d'eaux et coups de toit dans le bassin de Fuveau, Annales des Mines 1925, S. 50 ff., und G. SPACKELER, Untersuchungen über Gebirgsschläge, Zeitschr. f. Berg-, Hütt.- u. Salinenwesen 1931, S. 192 ff.). Der dargestellte Abbau arbeitet zur Ersparnis von Grubenholz mit der Preisgabe kleiner Kohlenpfeiler, die allmählich zerdrückt werden, wodurch über den großen Streckenpfeilern eine „Dombildung" entsteht. Das Bild dürfte im übrigen ohne Erläuterung verständlich sein. Mit dem Bruch des Hangenden in der Mitte über dem Pfeiler ist selbstverständlich nur eine der vielen Bruchmöglichkeiten dargestellt. Wesentlich ist, daß solche Schläge nicht, wie man früher annahm, als Einsturzbeben aus alten Grubenbauen zu deuten sind, sondern daß sie nur aus angesammelten elastischen Biegungsspannungen frei werden, da die gebrochene Schicht in ihre ursprüngliche Lage zurückkehrt. Der dabei entstehende Schlag ist die Ursache der folgenschweren Erscheinungen.

Dank aller dieser Beobachtungen ist uns, wie eingangs erwähnt, die qualitative Analyse des Gebirgsdrucks gelungen. Wir haben daraus auch die technischen Folgerungen gezogen. Es ist heute möglich, die Arbeit des Bergmannes durch Druckausnutzung oder Druckfernhaltung zu erleichtern, den Abbau einer Gruppe von Nachbarflözen planmäßig zu gestalten, ihn zeitlich richtig zu lenken, in den später innerhalb des Gewölbekerns gebauten Flözen andere technische Hilfsmittel, insbesondere Gewinnungsmaschinen einzusetzen, die Verhiebgeschwindigkeit in den benachbarten Flözen in Einklang miteinander zu bringen u. a. m. Wir wissen heute sogar, daß die Entwicklung von Schlagwettern eine Folge des Gebirgsdruckes, insbesondere der plötzlichen Entspannung der Schichten ist, daß also Schlagwetterexplosionen stets eine Folge ungenügend beherrschten Gebirgsdruckes sind. Diese Erkenntnis ermöglicht es, die Zone der Entgasung der Flöze vorher anzubohren, um die Gase abzusaugen. In vielen Teilen der Erde ist der Steinkohlenbergbau damit beschäftigt, Versuche zu einer Ausnutzung der CH_4-Gase durch vorheriges Anbohren und Absaugen durchzuführen. Ähnlich hat W. Marx nachgewiesen, daß der Grubenbrand in Kohlenflözen überwiegend eine Folge der Gebirgsdruckwirkung ist und auf ungenügender Beherrschung des Gebirges beruht (Diss. Freiberg 1948).

Bei allen diesen Arbeiten aber handelt es sich um erste Versuche, von einer exakten Beherrschung der Vorgänge kann nicht gesprochen werden.

2. Mathematische und naturwissenschaftliche Beiträge zur Klärung der Gebirgsdruckfragen

a) Vermessungstechnik

Prüfen wir nunmehr die Frage, was bisher geschehen ist, um die praktische Beobachtung des Bergmannes in der Grube durch Messung, Experiment oder Rechnung zu ergänzen! Das Hauptverdienst in dieser Hinsicht ist zweifellos der markscheiderischen Feinmessung zuzuerkennen, welche die Bewegung von Punkten, die Veränderung von Querschnitten und die Verlängerung oder Verkürzung von Strecken, die dem bloßen Auge unbemerkbar waren, nachgewiesen hat. Erst die markscheiderischen Messungen haben manche umstrittene Frage, z. B. die Bildung der Weberschen Welle, geklärt. Sie hat gezeigt, daß auch im festen Gebirge, wie im Granit, in Siegerländer Grauwacke u. a., die gleichen Bewegungen und Formänderungen wie im weicheren Gebirge vor sich gehen und daß nur das Ausmaß der Veränderungen ein anderes ist. Sie hat vor allem mit dazu beigetragen, das unterschiedliche Verhalten des Gebirges im Kohlenstreb in Abhängigkeit von der jeweiligen Festigkeit des Flözes und des Nebengesteins, vom Ausbau, vom Versatz des Hohlraumes u. a. zu erkennen, was wichtige Hinweise auf die technische Ausgestaltung ergab. Durch Feinmessung an der Tagesoberfläche hat sie grundlegende Arbeit zur Deutung der Vorgänge im Sinne der Abb. 6 geleistet. Die Messungen können aber allein nicht zum Ziele führen, denn ihr haften zwei schwer zu beseitigende Nachteile an: Einmal erfordert die genaue Beobachtung kurzfristige Wiederholung der Messungen. Es ist aber bei den geschilderten Gebirgsbewegungen schwer möglich, in der Nähe des Abbaus Fixpunkte als Ausgangspunkt für die Messungen zu finden; das ganze Gebirge ist hier in Bewegung. Die Messungen müssen daher jedesmal aus weiter Entfernung herangeführt werden. Kurzfristige Wiederholung erfordert dadurch nicht nur unverhältnismäßig viel Arbeit, sondern ist auch ohne empfindliche Störung des Bergwerksbetriebes nicht möglich. Man muß sich daher oft damit begnügen, Relativbewegungen der

Punkte gegeneinander zu messen und sie in längeren Zeiträumen durch Koordinatenbestimmung zu kontrollieren, so daß zwischenzeitliche Bewegungen verborgen bleiben können. Zum anderen mißt man die Bewegungen der Punkte: Auf die Spannungen und ihre Richtung, die den Bergmann interessieren, können daraus nur Schlußfolgerungen gezogen werden. Die gemessene Verlängerung einer Strecke zwischen zwei Fixpunkten stellt z. B. oft nicht eine echte Dehnung dar; sie geht vielmehr aus Biegung an der konvexen Seite hervor. Es kommt daher alles auf eine richtige Deutung der Messungen an.

b) Rechnerische Erfassung der Probleme

Häufig ist versucht, die Vorgänge im Gebirge auf mathematischem Wege zu klären. Vor allem haben die Tunnelbauer dieses immer wieder versucht, um die Stärke des notwendigen Tunnelmauerwerkes zu errechnen. Daß das nicht gelungen ist, ergibt sich aus der Tatsache, daß fast in jedem größeren Tunnelbau Strecken aufgetreten sind, in denen das beste Mauerwerk vom Gebirgsdruck einfach zerdrückt wurde. In schwierigen Fällen pflegt man zunächst nur mit kleinen Querschnitten vorwärts zu kommen und kann erst nach einer gewissen Entspannung des Gebirges den Stollenvortrieb allmählich zum Tunnel erweitern. Der Grund für den Mißerfolg der Rechnung ist z. T. darin zu suchen, daß man zu wenig von der Beobachtung ausging, z. T. aber auch darin, daß man sich die Sache zu einfach vorstellte. Es wurde z. B. mehrfach mit der allgemeinen Gültigkeit des Hookeschen Gesetzes gerechnet, das im Gebirgszusammenhang nur sehr begrenzt zutrifft, und es wurden Kennziffern verwandt, die nicht unter den Bedingungen allseitigen Druckes festgestellt waren, worauf zurückzukommen ist. In der bergmännischen Literatur ist der Versuch von P. Kühn (Glückauf 1931, S. 167) erwähnenswert, der die Spannungsänderung um eine kreisrunde Strecke rein mathematisch klären wollte. Er mußte dabei auf Grund seiner Rechnung die Bildung der Trompeterschen Zone ablehnen, obwohl jeder Bergmann sie täglich beobachtet, womit seine Rechnung sich von vornherein als irrig erwies. Am erfolgreichsten war die Arbeit von Fenner, der auf einfachsten Annahmen, nämlich einer Einzelstrecke runden oder elliptischen Querschnitts im ungestörten homogenen Gebirge aufbaute und von den beobachteten Entspannungsvorgängen ausging, gerade dadurch aber die Vielseitigkeit der Erscheinungen zeigte (E. Fenner, Untersuchungen zur Erkenntnis des Gebirgsdruckes, Diss. TH. Breslau 1938, und Glückauf 1938, S. 681). Die Berücksichtigung der zahlreichen mitsprechenden Faktoren führte zu verwickelten Gleichungen höheren Grades. Die wichtigsten praktischen Ergebnisse daraus waren:

1. Als Folge der Druckauswirkung unterscheidet er drei Teufenzonen, nämlich:

a) Eine Zone geringer Teufe, in welcher alle Spannungen unterhalb der Festigkeit des Gesteins bleiben, so daß nur elastische Formänderungen in Frage kommen und das Gestein unversehrt bleibt. Ein Ausbau in dieser Zone ist überflüssig; wenn er eingebracht wird, dient er nur dem Schutze gegen Steinfall infolge der Zerklüftung des Gesteins durch Schießarbeit und Verwitterung.

b) Eine Zone der Zerklüftung des Gesteins, in welcher die Spannungen, insbesondere die Scherkräfte, zwar die Festigkeit übersteigen, also Zerklüftung eintritt, in der aber, wie Fenner nachweist, die Reibung auf den Kluftflächen eine Verschiebung der Gesteinsteile gegeneinander verhindert. Man erhält, wie es auf der internationalen Gebirgsdrucktagung in Heerlen 1948 ausgedrückt wurde, einen „Präliminarbruch“, der zunächst unsichtbar bleibt, aber den späteren sichtbaren Bruch erleichtert und in seiner Lage bestimmt. Auch in dieser Zone ist ein Ausbau zunächst nicht erforderlich. Geringe Veränderungen der Spannungen im Gebirge, z. B. als Folge eines neuen benachbarten Grubenbaus, wird aber neue Bewegungen auslösen, so daß vorsorglich ein Ausbau zweckmäßig erscheint.

c) Eine Zone der Zerklüftung und Bewegung des Gesteins, in welcher die Spannungen Festigkeit und Reibung überwinden, so daß die Strecke durch Hereinbrechen oder Hereinschieben des Gesteins zerdrückt wird, was bis zum vollständigen Verschließen der Strecke führen kann. In diesem Falle ist ein Ausbau von vornherein erforderlich, da nur ein erheblicher Widerstand gegen die radiale Kraftkomponente des Gebirgsdruckes das Gleichgewicht im Gebirge herstellen kann. Je größer die Teufe wird, desto plastischer erscheint das Gebirge. Während man zunächst noch einen quasiplastischen Zustand des Gebirges innerhalb der Trompeterschen Zone anerkennt, gewinnt man mit zunehmender Teufe immer mehr den Eindruck einer wirklichen Plastizität mancher ursprünglich fester Gesteine.

Fenners Rechnungen stimmen, und darin liegt ihre große Bedeutung, mit der bergmännischen Beobachtung überein (G. Spackeler, Vergleich der Forschungsarbeiten Fenners über das Wesen des Gebirgsdrucks mit den Beobachtungen im deutschen Bergbau, Glückauf 1939, S. 192); er errechnet z. B. im normalen Steinkohlengebirge die Grenze der genannten Zonen a und b bei Teufen zwischen 500 und 600 m, was durchaus den Erfahrungen des Bergmannes entspricht. Im weichen Gestein, z. B. im Ton, fällt die Zone b aus; hier beginnt die Zone c mit völlig plastischen Formänderungen, wie dargelegt, schon in geringer Teufe.

2. Die günstigste Form einer Strecke ist eine Ellipse mit senkrechter großer Achse. Bei jedem anderen Querschnitt treten unbedingt am Umfang der Strecke, besonders an Firste und Sohle, Zugspannungen auf, denen das Gebirge wenig gewachsen ist. Nur bei einer ganz bestimmten Ellipse werden Zugspannungen am Streckenumfang völlig vermieden. Diese günstigste Ellipse ist durch die Gleichung gegeben (m = Poissonsche Konstante):

$$\frac{4\,x^2}{(m-2)^2\,b^2} + \frac{y^2}{b^2} = 1$$

3. Die oben angegebene Aufgabe des Ausbaues, einen Anfangswiderstand gegen das Vordrücken der Streckenstöße zu geben,

wird durch Fenners Rechnung belegt. Fenner ist jedoch äußerst vorsichtig, an seine grundsätzlichen Rechnungen Zahlenbeispiele anzuschließen, da die Kennziffern unter den Bedingungen des dreidimensionalen Spannungszustandes als Unbekannte gelten müssen.

In der ausländischen Literatur sind mir gleichwertige Rechnungen bisher nicht bekannt geworden.

3. Modellversuche

Versuche, die Entspannungsvorgänge und damit die Ausbildung der im Gebirge um die bergmännischen Hohlräume entstehenden Risse und Bewegungen an Modellen zu erkunden, habe ich selbst seinerzeit unter Mitwirkung von O. Domann (Glückauf 1934, S. 589, und 1936, Nr. 47) im Labor der TH. Breslau angestellt. Abb. 9 gibt den Erfolg eines der grundlegenden Versuche wieder. Ein genau eingeschliffener Gesteinswürfel wurde in einer Preßform unter hohen allseitigen Druck gebracht. Als Unterlage für den Würfel diente eine Stahlplatte, welche in der Mitte eine quadratische Öffnung erhielt, um die Abbaufläche darzustellen. Der senkrechte Druck der Presse wurde bis auf über 1000 kg/cm² gesteigert, obwohl die Druckfestigkeit des Gesteins vorher mit nur 220 kg/cm² ermittelt war. Man erkennt in Abb. 9 deutlich den herausgepreßten Gewölbekern über dem Hohlraum der Stahlplatte. Die Scheitelhöhe des Gewölbes erwies sich unabhängig vom Druck als konstant. Das Herauslösen des Kernes begann bei 470 kg/cm² deutlich zu werden. Die Drucksteigerung erfolgte schnell; der

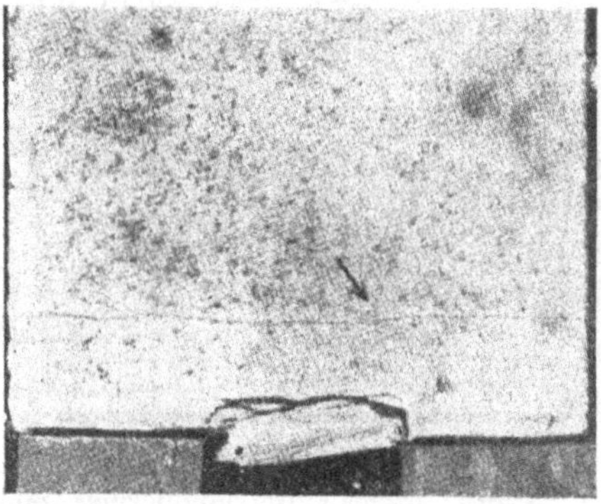

Abb. 9. Gewölbebildung mit Ablösung einer Schale aus der Gewölbezone

Faktor Zeit wurde nicht beachtet. Andere Versuche sollten die Verhältnisse an einer langen Abbaufront, z. B. in einem Kohlenstreb nachahmen. Unter dem Würfel lagen ein Stück Stahl und ein Stück Gummi, zwischen beiden der den Strebraum darstellende Hohlraum. Auch hier ergab sich die Ausbildung einer Gewölbelinie von der Kohle (Stahl) zum Versatz (Gummi) und ein Herausplatzen des Gewölbekerns. An der Versatzseite erschien jedoch kein einheitlicher scharfer Ablösungsriß des Kerns; vielmehr löste sich der eine Hauptriß infolge der Nachgiebigkeit der Unterlage in mehrere Risse auf, an denen das Gestein zum Teil noch zusammenhing. In jedem Falle bestätigten die Versuche die Vorherrschaft der Gewölbebildung über die anderen Erscheinungen. Sie ließen verschiedentlich jedoch auch die im Vorabschnitt unter b) erwähnte Bruchlinie erkennen.

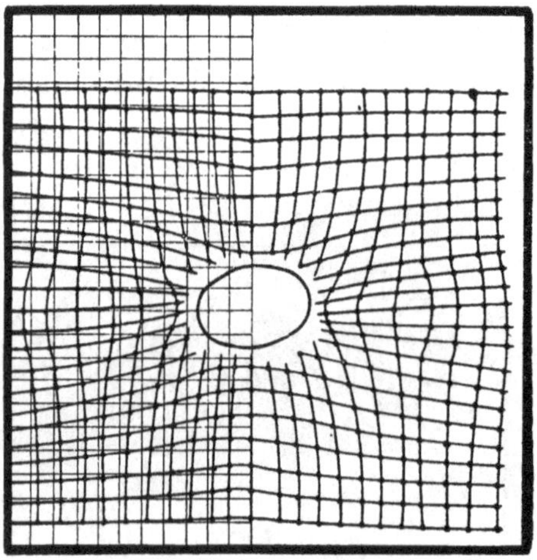

Abb. 10. Querschnittsveränderung einer runden Strecke (Modellversuch in Plastilin mit Raster nach Jacobi; das dünne Netz auf der linken Seite zeigt das ursprüngliche Aussehen des Rasters)

Daß tatsächlich plastische oder wenigstens quasiplastische Verformungen des Gesteins rings um eine Strecke vor sich gehen, zeigte O. Jacobi kürzlich bei Versuchen mit Plastillin (Bericht Internat. Fachtagung über Gebirgsdruckfragen und Tunnelbau, Leoben 1950, S. 161). Durch ein eingebautes Raster konnte er die Bewegungen im Gestein und die Verengung und Verformung der ursprünglich runden Strecke lt. Abb. 10 nachweisen, ohne daß seine Versuchsmasse irgendwelche Bruchererscheinungen erkennen ließ. In gleicher Weise wies er die günstige Auswirkung der elliptischen Streckenform auf das Gesteinsverhalten nach.

Man hat ferner versucht, die Entspannungsvorgänge im Gebirge auf spannungsoptischem Wege zu klären. Gewisse Kunststoffe, wie z. B. Dekorit, haben die Eigenschaft, unter Spannung optisch doppelbrechend zu werden, wobei die Doppelbrechung proportional zur Spannung zunimmt. Bei Durchleuchtung unter gekreuzten Nikols entstehen danach die bekannten hellen und dunklen Linien, deren Dichte ein Maß für die Doppelbrechung und damit für die Spannung ist. Man hat aus solchem Stoffe Scheiben hergestellt, hat darin die Form der Strecke z. B. als Trapez (üblicher Holz-, sog. Türstockausbau), als gewölbten Bogen (Stahlausbau) und als geschlossenen Kreis oder Ellipse (Stahl- oder Betonausbau) eingeschnitten und das Modell hinter Nikols durchleuchtet. Abb. 11 zeigt in Fig. a das Modell einer trapezförmigen, in Fig. b einer bogenförmigen und in Fig. c einer elliptischen Strecke. Je schneller helle und dunkle Linien wechseln, desto größer ist die Spannung an dieser Stelle. In Fig. a erkennt man besonders die ungünstige Wirkung der Trapezform durch Spannungshäufung an den Kerbecken und in der Mitte von Firste und Sohle. Im unteren Teil der Figuren ist ermittelt, ob und wo es sich um Druck- (+) oder um Zug- (—) spannungen handelt. Die Versuche bestätigen die Rechnung Fenners, daß bei einer bestimmten Ellipse alle gefährlichen Zugspannungen am Stoß vermieden werden können. Bei der hohen Druck-, aber geringen Zugfestigkeit der Gesteine hat das entscheidende praktische Bedeutung. Die Versuche geben aber kein vollständiges Bild der Vorgänge, da sie: a) ohne Darstellung des Streckenausbaus durchgeführt sind, also die Vorgänge in unausgebauten Strecken wiedergeben, b) nur mit elastischer Verformung des Materials arbeiten, also nur die Verhältnisse in Fenners Zone a (geringe Teufe) wiedergeben und c) keinen genügend großen Ausschnitt aus dem Gebirge darstellen, so daß nicht alle Spannungsänderungen erfaßt sind, da insbesondere die Gewölbelinie sich außerhalb der aufgenommenen Bilder befinden dürfte.

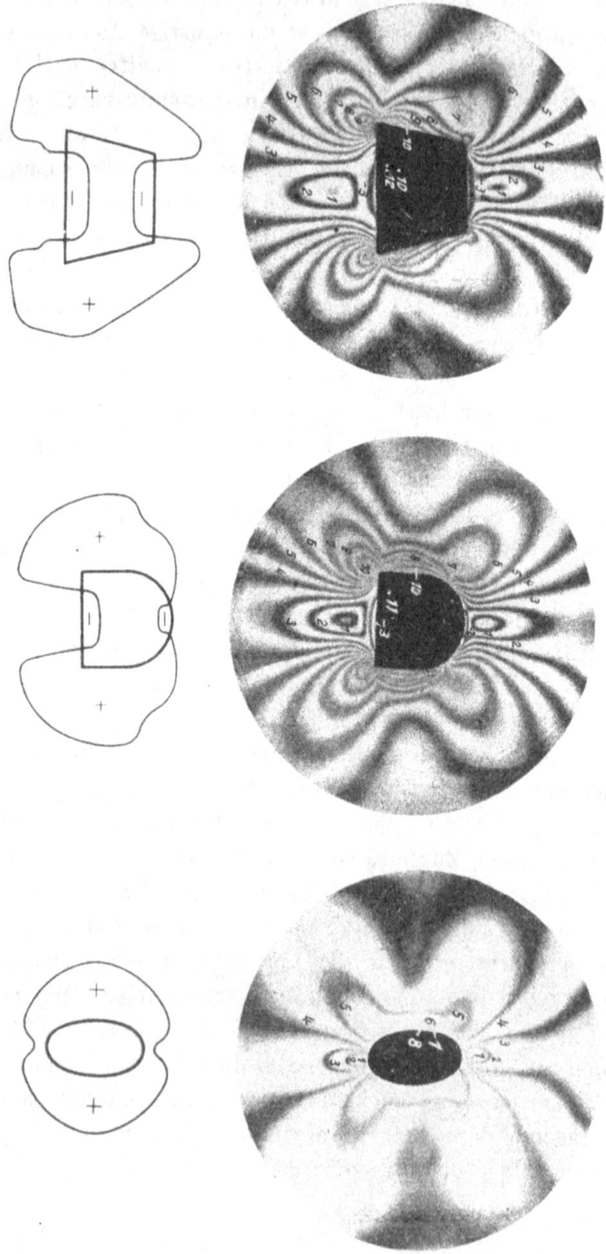

Abb. 11 *a* bis 11 *c*. Optische Untersuchungen über die Spannungsverteilung um Strecken verschiedenen Querschnitts (nach Dorstewitz)

4. Festigkeitsuntersuchungen

Bevor der Bergmann in die Teufe eindringt, herrscht zwar ein dreiachsiger Spannungszustand im Gebirge; die senkrechte Kraft übertrifft aber an Größe die beiden unter sich gleichen Spannungen in den anderen Achsenrichtungen. In der Nähe eines bergmännischen Hohlraumes verschiebt sich das Bild, da die beiden letztgenannten Kräfte ungleich werden. Leider liegen experimentelle Untersuchungen bei einem derartigen ungleichen dreidimensionalen Spannungszustand bisher nicht vor. Die ersten Untersuchungen über Verformung an dreiachsig beanspruchten Körpern führte KARMÁN bereits 1911 durch, indem er einen Marmorzylinder nicht nur an den Basisflächen preßte, sondern gegen ihn zugleich einen beliebig regulierbaren Manteldruck ausübte. Er erhielt eine wesentliche Erhöhung der Bruchfestigkeit unter geringer tonnenförmiger Ausbauchung der Zylinderwand. O. MÜLLER und H. WÖHLBIER führten die Versuche an bergmännisch wichtigen Gesteinen, Steinkohle und ihrem Nebengestein bzw. Gesteinen des Salzgebirges durch (O. MÜLLER, Untersuchungen zur Klärung von Gebirgsdruckfragen, Diss. TH. Breslau und Glückauf 1930, S. 1601; H. WÖHLBIER, Untersuchungen an Gesteinen der Zechsteinformation zur Klärung von Gebirgsdruckfragen, Diss. TH. Breslau und Kali 1931, S. 167). Die Versuche wiesen nach, daß die Druckfestigkeit eines carbonischen Sandsteins aus dem oberschlesischen Steinkohlenbergbau durch 600 kg/cm² Manteldruck von 800 auf über 4000 kg/cm², die von Steinsalz durch 400 kg/cm² Manteldruck von 300 auf 900 kg/cm² erhöht wird. Bergmännisch ist diese Feststellung dadurch von besonderer Bedeutung, daß ein gewisser Manteldruck gegen das Innere eines stehengebliebenen Gebirgspfeilers durch die Trompetersche Zone geschaffen wird, so daß die spezifische Tragfähigkeit eines solchen Pfeilers in der Mitte größer als an seinem Rande ist. Ein großer Pfeiler besitzt daher durchschnittlich eine wesentlich größere spezifische Tragfähigkeit als ein kleiner Pfeiler. STAMATIU (Habilitationsschrift Freiberg 1936) wies die Richtigkeit dieser Annahme am Steinsalz durch zahlreiche Druckversuche an Würfeln und Prismen von 5, 10 und 20 cm Kantenlänge nach; K. KEGEL baute darauf, wenigstens für Steinsalz, eine Formel für die Zunahme der Bruchfestigkeit mit der Kantenlänge eines solchen Pfeilers (Gebirgsmechanik, Verlag Knapp-Halle, 1950, S. 34) auf. In jedem Falle steht fest, daß im Grubengebäude die bekannte Formel für die Tragfähigkeit eines Körpers $P_{max} = F\sigma_d$ nicht ohne weiteres anwendbar ist, da σ_d nicht wie sonst als Konstante gelten darf.

Ein wichtiger Beitrag zur Klärung der Druckerscheinungen vor allem im Salzbergbau liegt auch in der Feststellung, daß manche Gesteine, besonders deutlich das Steinsalz, im Bereich der elastischen Verformung bereits gleichzeitig eine plastische Verformung erfahren. Wie schnell die bruchfreie Verformung von Salz mit der Höhe des Druckes zunimmt, zeigt die Abb. 12, welche die Verformungszone von Steinsalzwürfeln unter einachsigem Druck wiedergibt. Das sog. ältere Steinsalz unter unserem Kalilager hat einen Gehalt von einigen Prozenten Anhydrit, das jüngere Steinsalz ist fast frei davon. Die Abbildung zeigt die großen Unterschiede, die sich daraus ergeben. Bis zu 40 kg/cm² Belastung verlaufen beide Kurven fast geradlinig, es findet also rein elastische Formänderung statt. Nunmehr beginnt aber neben der elastischen eine bleibende Verformung. Bei 220 kg/cm² macht die erstere beim älteren Steinsalz noch rd. 50%, beim jüngeren Steinsalz dagegen nur noch rd. 12% der Gesamtverformung aus. Folge dieser plastischen Verformung sind Materialwanderungen im Gebirge, die zu einer Minderung der Spannungsspitzen und damit zu einer günstigen Neuverteilung der Spannungen führen. Darauf ist es vermutlich zurückzuführen, daß man im Salz sehr große Hohlräume ohne Ausbau offenhalten kann, viel größere als

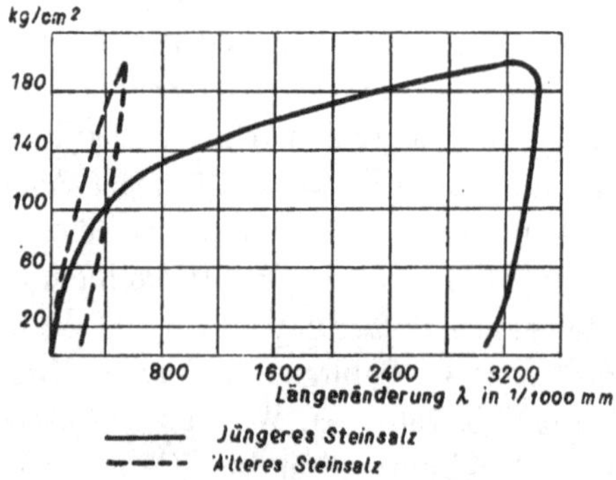

Abb. 12. Plastische und elastische Verformung von Steinsalz (nach Wöhlbier)

in allen anderen Gesteinen, obwohl die Festigkeit des Salzes weit unter der anderer Gesteine liegt, mit denen der Bergmann zu tun zu haben pflegt. Untersuchungen über Zug-, Scher- und Biegefestigkeit unter allseitigen Spannungen sind mir leider unbekannt.

Auf die Festigkeit der Gesteine ist weiter die geologische Lagerung, vor allem die Schichtung und Schieferung, sowie die tektonische Beanspruchung mit ihrer Kluft- und Schlechtenbildung von Einfluß. Im geschichteten Gestein ist die Druckfestigkeit rechtwinklig zur Schichtung im allgemeinen größer als parallel zu ihr. Groß ist auch der Einfluß der Feuchtigkeit. Durch Wasseraufnahme geht die Festigkeit vieler Gesteine erheblich zurück, wobei oft schon die geringe Feuchtigkeitsaufnahme aus dem Wetterstrom genügt, um nicht nur die Druck-, sondern auch die Biege- und Scherfestigkeit fühlbar herabzusetzen, was sich im Widerstand gegen die radiale Komponente der Druckkräfte nachteilig äußert und dadurch die Tragfähigkeit stehengebliebener Pfeiler vermindert.

Besonderes bergmännisches Interesse hat der Elastizitätsmodul. So zeigen die erwähnten Messungen von O. Müller an carbonischen Gesteinen, daß der E-Modul des Tonschiefers am Handstück gemessen größer ist als der des Sandsteins. Im Gebirgszusammenhang beobachtet der Bergmann das Gegenteil. Der Tonschiefer biegt sich und bricht schnell, während der Sandstein unter gleichen Bedingungen große Kräfte bei beschränkter Biegung elastisch aufspeichern kann, die dann bei plötzlichem Bruch zu den erwähnten gefürchteten Gebirgsschlägen führen. Die Erklärung dafür, daß im Steinkohlenbergbau Gebirgsschläge nur unter Sandsteinen, nicht unter Tonschiefern auftreten, liegt in folgendem: Durch die erwähnten Messungen von O. Müller und H. Wöhlbier ist festgestellt, daß der E-Modul für Gesteine keine Konstante ist, sondern von der Spannung beeinflußt ist. Der E-Modul des Tonschiefers nimmt mit steigender Spannung ab, der des Sandsteins dagegen zu. Leider sind die Versuche nicht so weit fortgeführt, daß die im Bergwerk auftretenden Spannungen erreicht wurden. Die praktische Beobachtung zeigt aber, daß diese Tendenz der Abnahme beim Tonschiefer und der Zunahme beim Sandstein offenbar anhält. Nur im gepreßten Gebirge reicht der E-Modul der Gesteine aus, die für große Schläge erforderlichen Kräfte anzusammeln. Gebirgsschläge sind daher an eine Mindestteufe gebunden; ihre Heftigkeit nimmt mit der Teufe zu.

5. Physikalische und geophysikalische Untersuchungen

Wir müssen noch etwas beim E-Modul verbleiben! Er wird nicht nur durch mechanische Messungen gefunden, sondern auch geophysikalisch aus der Laufzeitkurve seismischer Wellen errechnet. Für Gesteine hat sich dabei gezeigt, daß die mechanisch und die seismisch festgestellten Ziffern weit voneinander abweichen können. Kennzeichnend sind die Verhältnisse am Steinsalz. Der Bergmann pflegt es auf Grund seiner Beobachtungen im Einvernehmen mit den Wöhlbierschen Messungen als plastisch zu bezeichnen, was durch die Abb. 12 bestätigt wird. Der Physiker bezeichnet Steinsalz als hochelastisch, da es durch eine besonders hohe Laufgeschwindigkeit der Wellen ausgezeichnet ist. Der Widerspruch liegt offenbar in der Gleichzeitigkeit elastischer und plastischer Verformung begründet, die beim Steinsalz gerade besonders ausgeprägt ist, die aber auch bei anderen Gesteinen vor allem nach Feuchtigkeitsaufnahme verbreitet sein dürfte. Interessante Zahlen über die Abweichung des unter verschiedenen Bedingungen ermittelten E-Moduls hat kürzlich L. Bendel-Luzern veröffentlicht (Internat. Gebirgsdrucktagung Leoben 1950, Vorträge S. 78). Er fand am schiefrigen alpinen Gneis durch Druckverformung E = 50 000, durch seismische Messung dagegen E = 500 000 kg/cm²; am Granit maß er, in beiden Fällen auf seismischem Wege, am gewachsenen Felsen E = 350 000, dagegen an Probestücken nur E = 130 000 kg/cm². L. Bendel hebt dabei hervor, was nach unseren Betrachtungen über die allmähliche Ausbildung der Trompeterschen Zone natürlich erscheint, daß die Messungsergebnisse im Gebirgszusammenhang sich auch am gleichen Stoß mit der Zeit ändern können und daß deshalb gerade wiederholte Messungen einen Einblick in die Art der Veränderungen der Spannungsverhältnisse und damit des Gebirgsverhaltens geben.

Die Geophysik hat mit Strömen und Wellen, sowie durch Messung der Schwere, der magnetischen Feldstärke, der Temperatur u. a. tief in die Erde hineingeleuchtet. Aber sie hat ihre Arbeit bisher überwiegend zum Schürfen, d. h. zum Aufsuchen neuer Lagerstätten eingesetzt und dazu über Tage gearbeitet. Ein Einsatz der Geophysik unter Tage ist nur in wenigen Spezialfällen, z. B. zur Untersuchung von Tiefbohrungen, erfolgt. Die großen Erfolge, welche die Geophysik bei ihrer Arbeit erzielt hat, berechtigen zu der Erwartung, daß sie auch beim Einsatz für andere bergmännische Zwecke als für Schürfarbeiten wesentliche Hilfe leisten kann.

6. Ergebnis

Die Ausführungen zeigen, daß vorläufig eine wirkliche Aufklärung der Vorgänge im Gebirge unmöglich ist, da alle Unterlagen fehlen, um einmal die Größe und Richtung des Druckes, zum anderen aber auch seine Auswirkung im Gebirge richtig beurteilen zu können. Fenners mathematische Untersuchungen haben gezeigt, daß eine generelle Klärung der Probleme auf diesem Wege unmöglich ist, da schon die unter einfachsten Annahmen aufgestellten Gleichungen nur in der Hand eines geübten Mathematikers verwertbar sind. Bei betrieblich schwierigen Fragen ist auf diesem Wege nicht zum Ziele zu kommen. Es muß versucht werden, für Teilvorgänge Lösungen zu finden, wenn wir uns auch mit Annäherungslösungen begnügen müssen, um zu Rechnungen zu kommen, die im Betriebe ausgewertet werden können. Noch wichtiger erscheinen für den Bergwerksbetrieb geeignete Meßinstrumente für Beobachtung der Spannungen im Gebirge und der dadurch veranlaßten Veränderungen. Schließlich gilt es, alle notwendigen Koeffizienten für die Gleichungen zu bestimmen, was dadurch erschwert ist, daß der Bergmann im Gebirge nicht erwarten kann, Kennziffern konstanter Größe zu erhalten, daß jede Kennziffer vielmehr erst in Abhängigkeit vom Spannungszustand bestimmt werden muß. — Um ein Beispiel zu nennen für das, was m. E. erreicht werden muß, sei folgendes angeführt: Sicherheit und Arbeitserfolg des Kohlenhauers am Strebstoß sind wesentlich davon abhängig, in welcher Entfernung vom Kohlenstoß der Kämpferdruck auf dem Flöz liegt. Gelingt es, diesen Abstand laufend festzustellen, so ist daraus auch zu ersehen, welche Vortriebsgeschwindigkeit eingehalten werden muß, um das Optimum an Sicherheit und Arbeitsproduktivität zu erreichen. Das ist nur auf geophysikalischem Wege erreichbar. Daneben müssen Physik und physikalische Chemie Aufklärung bringen über die Fragen der Elastizität und Plastizität der Gesteine, über die Grenzen der Geltung des Hookeschen Gesetzes, über die quasiplastischen Vorgänge, über die Festigkeitseigenschaften der Gesteine nicht nur gegenüber Druck, sondern ebenso gegenüber Schub, Biegung und Zerrung im dreiachsigen Spannungszustand und über vieles andere.

Das Ziel, auf das der Bergmann zunächst hinsteuern muß, sei in den folgenden Aufgaben angedeutet:

a) Beherrschung des Gebirges so weit, daß schwere Unfälle und Katastrophen durch Steinfall, Gebirgsschläge und Gasausbrüche ausgeschlossen werden, daß also der Bruch des Gebirges planmäßig herbeigeführt, aber jede ungewollte und zur Unzeit auftretende Zerklüftung verhütet wird,

b) Lenkung der Spannungen und Bewegungen des Gebirges so, daß der Druck nach Bedarf vom Bergmann zur Erleichterung seiner Arbeit ausgenutzt oder vom Arbeitsstoß ferngehalten werden kann,

c) planmäßige Führung des Abbaus benachbarter Flöze,

d) Anlage sicherer Förder- und Wetterstrecken bzw. ihre nachträgliche Sicherung durch Ausbau, um ihre dauernde einwandfreie Unterhaltung zu gewährleisten,

e) im Kohlenbergbau Lenkung der Entgasung der Kohle, um die ungeheuren Werte des jetzt vergeudeten CH_4-Gases nutzbar zu machen und

f) Verhütung von Grubenbrand.

Für viele Zweige der Forschung bietet sich Gelegenheit, an der Aufklärung der hier geschilderten Probleme mitzuarbeiten. Lohnender Erfolg einer solchen Arbeit steht in Aussicht; denn sie soll nicht nur dazu dienen, dem Bergmann seine Arbeit zu erleichtern und ihn vor Gefahren zu schützen, sie soll zugleich mithelfen, die Bodenschätze des Landes, die sich nicht erneuern und daher einer pfleglichen Behandlung bedürfen, möglichst ohne Abbauverluste zu gewinnen. Besondere Aufgaben werden dabei der Geophysik zufallen, da sie allein in der Lage ist, in das Innere des Gebirges hineinzuleuchten, ohne einen Grubenbau zu betreiben, der sofort unter Bildung einer Trompeterschen Zone eine Veränderung des Gleichgewichtes im Gebirge bedingt. Der Physiker hat dem Ingenieur schon viele Meßgeräte zur Verfügung gestellt, die zu einfachen Betriebsüberwachungen brauchbar sind, indem z. B. der Einfluß der Temperatur auf die elektrische Leitfähigkeit eines Drahtes es erlaubt, umgekehrt aus der Stromstärke die Temperatur des umgebenden Mediums zu entnehmen. In ähnlicher Weise muß es möglich sein, etwa aus elektrischen Strömen oder seismischen Wellen auf die Spannungen innerhalb eines Pfeilers zu schließen, wenn der Einfluß solcher Spannungen auf die Leitfähigkeit oder auf die Laufzeitgeschwindigkeit vorher festgelegt ist.

BERICHTE ÜBER DIE VERHANDLUNGEN DER SÄCHSISCHEN AKADEMIE DER WISSENSCHAFTEN ZU LEIPZIG

MATHEMATISCH-NATURWISSENSCHAFTLICHE KLASSE

Band 97

Heft 1	*Erich Strack:*	Beobachtungen über den endogenen Anteil des Kot-Stickstoffes. 1949	**DM 2.50**
Heft 2	*Ernst Hölder:*	Über die Variationsprinzipe der Mechanik der Kontinua. 1950	vergr.
Heft 3	*H. Gerstner / H. Baark / H. Graul:*	Der Wechselstromwiderstand der Froschhaut. 1950	**DM 2.75**
Heft 4	*H. Beckert:*	Existenz- und Eindeutigkeitsbeweise für das Differenzenverfahren zur Lösung des Anfangswertproblems, des gemischten Anfangs-Randwert- und des charakteristischen Problems einer hyperbolischen Differentialgleichung 2. Ordnung mit zwei unabhängigen Variablen. 1950	**DM 9.—**
Heft 5	*H. Beckert:*	Über quasilineare hyperbolische Systeme partieller Differentialgleichungen 1. Ordnung mit zwei unabhängigen Variablen. Das Anfangswertproblem, die gemischte Anfangs-Randwertaufgabe, das charakteristische Problem. 1950	**DM 14.50**
Heft 6	*E. Heidebroek:*	Das Verhalten von zähen Flüssigkeiten, insbesondere Schmierflüssigkeiten, in engen Spalten. 1950	vergr.
Heft 7	*Hans Schubert:*	Über eine lineare Integrodifferentialgleichung mit Zusatzkern. 1950	**DM 9.25**
Heft 8	*Helmar Krupp:*	Bestimmung der allgemeinen Lösung der Schrödinger Gleichung für Coulomb-Potential. 1950	**DM 5.50**

Band 98

Heft 1	*Walter Schnee:*	Über magische Quadrate und lineare Gitterpunktprobleme. 1951	**DM 4.65**
Heft 2	*E. Heidebroek:*	Über die Beziehungen zwischen Schmierung und Verschleiß bei geschmierter Gleitreibung. 1950	**DM 2.75**
Heft 3	*Karl Kegel:*	Der Salzstock Mirowo bei Provadia in Bulgarien. 1951	**DM 3.—**
Heft 4	*H. Beckert / Hans Salié:*	Bemerkungen über die Verbiegung hyperbolisch gekrümmter Flächenstücke. Über Abels Verallgemeinerung der binomischen Formel. 1951	**DM 2.25**

Band 99

Heft 1	*H. Brandt:*	Über das quadratische Reziprozitätsgesetz. 1951	**DM 1.90**
Heft 2	*Georg Spackeler:*	Der Gebirgsdruck und seine Beherrschung durch den Bergmann	**(vorliegende Veröffentlichung)**

Bestellungen an eine Buchhandlung erbeten

AKADEMIE-VERLAG · BERLIN NW 7

Kolibri 360 GmbH
Ferdinand-Jühlke-Straße 7
99095 Erfurt, Deutschland
produktsicherheit@kolibri360.de